障害のある子のための

職業ガイド

子どもたちの自立を支援する会 編集

日本教育研究出版

目次

就職への
取り組み

1 興味・関心を持つ

　世の中にはたくさんの仕事あります。パン屋さん、警察官、サッカー選手、YouTuber、声優、、、。

　みんないろんな想いを持って仕事についています。かっこいいからミュージシャンになりたい人もいれば、病気の人の役に立ちたくて看護師になる人もいます。

　まずは、いろいろな仕事を知って、仕事に対する興味・関心を持つことからはじめてみましょう。今までの自分の知識では知らなかった職業もきっとあるはずです。

2 仕事の選び方

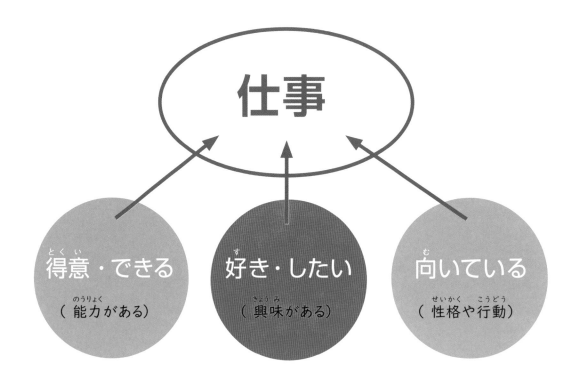

仕事を選ぶ時に、何を基準に選んだらよいでしょうか。沢山の人が働いていますが、みんなどうやって今の仕事を選んだのでしょうか。

興味のある分野に関われるなら、仕事内容は問わないという人もいます。また、あまり知らない分野でもいいから得意なことをしたい人もいます。ずっと飽きずに没頭できる作業をしたい、持っている資格を活かしたい、、、。いろんな基準があり、いろんな選び方があります。自分の中にどんな基準があるのか、それを知ることで、選択の幅を広げることができます。

ここでは、「何が好きか・したいか」「何が得意か・できるか」「どんなことに向いているか」というキーワードで考えてみましょう。

好き・したい

本を読むのが好きだから、出版社に入りたいな！

音楽が好きだから、音響やライブとか、音楽に関わる仕事につきたいな。

得意・できる

パソコンの資格を取ったから活かせる仕事につきたいな。

絵を描くことが得意だから、イラストレーターになりたい！

向いている

じっとしているより、体を動かすのが自分に合っている！

いろんな人と会ったり話すのが向いてる！

3 好きなことから仕事を思い浮かべてみる

ゲームが好きだから、、、

プロゲーマー？

ゲームを作る人？

　ゲームが好きだと、「プロゲーマー」や「ゲームクリエイター」などは思いつきやすいです。そこから始めて、もう少し広げて考え、関連する仕事を思い浮かべてみましょう。好きなことから広げていくと、いろんな仕事が見えてきます。

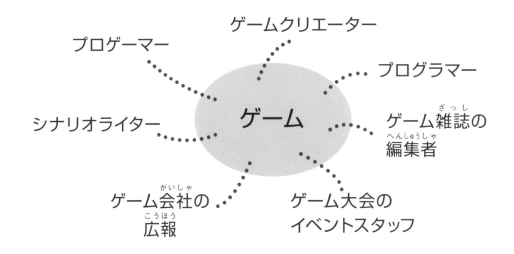

プロゲーマー

ゲームクリエーター

プログラマー

シナリオライター

ゲーム

ゲーム雑誌の編集者

ゲーム会社の広報

ゲーム大会のイベントスタッフ

他にも、ポジティブな感情をいろいろ思い浮かべてみよう

喜び

ほめられた

やってみたい

うれしい

楽しい

料理を手伝ったら
ほめられた　→　飲食関連の仕事も
いいかもしれない

人のお世話をして
喜ばれた　→　介護の仕事も
いいかもしれない

他にも、作文でほめられた、パソコンが得意だ、記憶力なら負けない、皆勤賞を取った、、、などポジティブなことを思い浮かべて連想してみましょう。

4 自分のタイプを知ろう

話したり人と接する
のが好きな
ニコニコさん

黙々とやる仕事につく

人と接する仕事につく

向いてい
ない！

向いている
やりがいがある

ミスマッチング＝離職につながる

マッチング＝仕事が続く

ここまでは「好き」「得意」「楽しい」などを連想して仕事について考えてみましたね。ここでは、自分の性格や行動など、タイプについて考えてみましょう。

地道に作業するのが好きな
コツコツさん

人と接する仕事につく

黙々とやる仕事につく

向いていない！

向いている
やりがいがある

ミスマッチング＝離職につながる

マッチング＝仕事が続く

他にもいろいろなタイプがあります

 話すのが
好き・得意

 文章やメールで
伝えるのが
好き・得意

 動いているの
が好き・得意

 じっとして
集中するのが
好き・得意

 対人が
向いている

 対物が
向いている

　どんなことをしている時に、やる気が出て、無理なくがんばれているか、について考えてみましょう。自分のことが前よりもよく分かってくることがあります。自分のタイプについて考えることが、仕事選びの参考にもなります。

能力や対象物についてのタイプ以外にも、「誰かをサポートしたい」「リーダーになって動かすのが得意」「上達していくのが楽しい」「みんなで一つのものを作ると嬉しい」など、性格的なことについても考えてみましょう。

リーダーシップを取り、
まとめるタイプ

こっちだ!

誰かをサポート
したいタイプ

手伝います!

もっとうまく
なりたい!

練習や努力をして、
上達するのが楽しいタイプ

ポイント

自分で考えてみるのは大切ですが、人から言われた言葉や印象も参考にしてみるとよいでしょう。自分では短所だと思っていたことが、人から見ると長所であることもあります。

一つ一つ丁寧に仕事
してくれて助かるよ

マイペースで迷惑を
かけてると思ってた,,,

5 チャレンジ精神も大切に

　できること、向いていることを選択したほうが、恐らく失敗する確率は低くなるでしょう。マッチングがうまくいき、仕事も長続きするかもしれません。
　ですが、「好きだ」「やってみたい」「頑張ってみたい」という気持ちも忘れずに、チャレンジ精神を大切にしてください。

障害が理由で働きにくいのなら、、、
合理的配慮を求めてみましょう

　人にはそれぞれ、好き・嫌いや得意・不得意、出来る・出来ないなどの違いあります。今は出来ないけど、助けがあれば出来ることもあります。また、周りの環境が整えばできることもあります。

　障害のある人が、何かの対応を必要としているという意思を伝えれば、企業は、話し合い、負担が重すぎない範囲で対応することが必要とされます。これが、「合理的配慮」です。

　働き始める前の段階や、実際に働き始めてから、職場で何か対策をして欲しい場面が出てくるかもしれません。

「長時間労働は体がもたないので、短時間にできないか。」
「一度に沢山の指示を出されると焦ってしまう、、、。」
「車椅子で動きやすいように機器の配置を変えてほしい。」

やりたい仕事にチャレンジしたい時や、長く働き続けたい時に、対策をとって欲しいことがあるなら、合理的配慮を提供してもらえるように意思表示をしましょう。企業も、働きやすい環境を整えることで、お互いに気持ちよく、成果が上がるようにしたいと考えています。

◆合理的配慮の活用に役立つ参考書籍
『ひとりだちするための就労支援ノート』

6 仕事を長く続けるために、働く前に知っておきたいこと

　精神障害者で転職経験者の人に、**以前の職場を離職したときの理由**について聞いた回答で最も多かったのは「個人的理由」でした。その内訳は、下のグラフの通りです。

個人的理由の具体的な内容（複数回答）

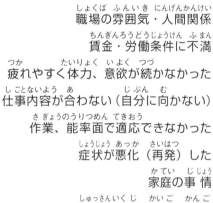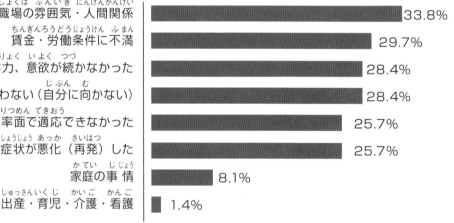

職場の雰囲気・人間関係	33.8%
賃金・労働条件に不満	29.7%
疲れやすく体力、意欲が続かなかった	28.4%
仕事内容が合わない（自分に向かない）	28.4%
作業、能率面で適応できなかった	25.7%
症状が悪化（再発）した	25.7%
家庭の事情	8.1%
出産・育児・介護・看護	1.4%

※厚生労働省 雇用実態調査

　「作業・能率面で適応できなかった」は25.7％しかなく、職場の人間関係や体力面の問題、また、そもそも仕事が自分に合わなかったというミスマッチングも理由の多くを占めています。

　作業ができる・できないだけではなく、一緒に働く人たちと良い関係を築くことが重要な要素になる仕事もあります。

なかなか職場定着ができないという現状がありますが、仕事を長く続けるためのヒントとして、**日常生活をきちんと送る**ということがあげられます。

　たとえば、仕事はできるのに毎日職場に遅刻してくるようでは問題になります。時間や約束を守れないことで信頼を失って、人間関係の悪化につながり、それが原因で職場に居づらくなることもあります。

　また、ギャンブルにはまり借金をしたことで仕事に集中できない、健康的な生活ができずに体をこわしてしまう、といったことが原因で仕事を続けられなくなることもあります。

遅刻が多い

体調管理ができない

日常生活がきちんと
送れないと、
仕事を続けるのが
困難になる

ギャンブルで借金

約束を守れない

7 生活に必要なスキル

朝起きてから夜寝るまでの1日のリズム、そして1週間のリズムを整えましょう。ストレスがたまると、だんだん生活リズムや食生活が乱れ、寝不足になることもあります。休日にリフレッシュすることでストレスをためないようにしましょう。

毎日・毎週・毎月の生活リズムを整えましょう

起床

洗顔、歯磨き

身だしなみ

掃除をする

ゴミを出す

決められた日に出そう

ストレスを
ためないように

散髪する（さんぱつ）

息抜き（いきぬき）

遅刻せずに出社する（ちこく・しゅっしゃ）

ごはんを食べる（た）

夜ふかしせずに寝る（よ・ね）

◆日常生活に役立つ参考書籍（にちじょうせいかつ・やくだ・さんこうしょせき）

『ひとりだちするための
　ビジネスマナー＆コミュニケーション』
『ひとりだちするためのライフキャリア教育（きょういく）』

ここまでをふり返って

---

❶ 興味・関心を持つ

↓　まずは、世の中にあるいろいろな仕事を知ろう

---

❷ 仕事の選び方

↓　「得意・できる」「好き・したい」「向いている」から、自分の仕事について考えてみよう

---

❸ 好きなことから仕事を思い浮かべてみる

↓　好きなことを広げて考えてみたり、人にほめられたりしたポジティブな感情を思い浮かべてみよう

---

❹ 自分のタイプを知ろう

↓　性格や行動など、自分はどんなタイプか、考えてみよう

---

❺ チャレンジ精神も大切に

↓　好き・やってみたい、という強い気持ちも大切にしよう

---

❻ 仕事を長く続けるために、働く前に知っておきたいこと

↓　仕事のスキルだけではなく、日常生活をきちんと送ろう

---

❼ 生活に必要なスキル

日常生活を規則正しく送ることが、仕事に良い影響をもたらす

障害を抱えながら活躍する有名人

障害を抱えながらも、努力や工夫、才能を生かして活躍している有名人もたくさんいます。本やインターネットで彼らの話を探してみましょう。

国枝慎吾（プロ車いすテニス選手）

9歳の時、脊髄腫瘍による下半身麻痺のため車いすの生活となる。小学校6年生の時に車いすテニスを始める。グランドスラム車いす部門で、男子世界歴代最多となる計44回優勝の記録保持者。

トーマス・エジソン（発明家・起業家）

電球や蓄音機をはじめ、約1300件もの発明をした発明王。聴覚に障害があったが、努力を積み重ね成功した。また、ADHD（注意欠陥・多動性障害）だったのではないかといわれている。

スティーヴン・スピルバーグ（映画監督・プロデューサー）

『E.T.』『シンドラーのリスト』等の映画監督で、アカデミー賞受賞者。読み書きが困難なディスレクシア（Dyslexia）のため、同級生に比べて2年遅れで学校を卒業した。また、アスペルガー症候群との診断を受けたことも明かしている。

8　いろいろな就労形態

　就労には様々な形態があります。それぞれを簡単にまとめましたので、まずはどのような就労形態があるのか知りましょう。自分に合った就労形態が分からなかったり、働いていたけれどなんらかの理由で離職してしまった場合などは、25ページ以降にある相談機関で相談し、支援を受けながら就労を目指しましょう。

一般就労

　障害者手帳等を持っていない人や、持っているが活用せずに就職する形態です。企業の応募条件を満たせば誰でも応募できます。障害者雇用に比べ、選べる職種も採用人数も多いです。しかし、基本的には障害者を前提とした採用ではないので、理解や配慮が十分には得られないかもしれません。

障害者雇用

　療育手帳、精神障害者保健福祉手帳、身体障害者手帳を持っている人向けの就労形態です。特例子会社という、障害者を中心に雇用している会社もあります。

就労移行支援

　学校の卒業時に就職できなかった人や、会社を退職した人が、就職を目指すために通う福祉施設です。訓練種目などは施設によって違いますが、2年間という期限があります。

就労継続支援 A 型

　職員の支援を受けながら一般企業と同じように働き、給料をもらいます。
会社や福祉法人が経営していて、いろいろな仕事があります。

就労継続支援 B 型

　一般就労した経験のある人や就労移行支援を受けたことのある人が通う福祉
施設です。施設によっていろいろな仕事があり、会社で働く場合もあります。

9 サポート機関・相談機関

ハローワーク（公共職業安定所）

　転職や就職したい人が登録します。適性や希望にあった会社紹介の相談ができます。障害者専門の相談窓口もあり、障害者専門の求人票があります。

　失業した時に、失業給付の手続きもしてくれます。一部のハローワークでは、発達障害の人を対象にした就職支援プログラムを実施しています。

地域障害者職業センター

　独立行政法人高齢・障害・求職者雇用支援機構が設置した、障害者の職業リハビリテーションの拠点となる施設です。地域障害者職業センターでは、障害者の職業評価、職業指導、職業準備支援及び職場適応援助等の職業リハビリテーションを実施しています。また、事業主の雇用管理上の課題を分析し、雇用管理に関する専門的な助言その他の支援を実施しています。

職業訓練機関

　国、都道府県等と連携しながら、各種の職業訓練を行う機関が設置されています。職業能力開発校は各都道府県に必ずあり、全国に約166校あります。また、障害のある人が住む身近な地域で、企業、社会福祉法人、民間機関等が委託され実施している障害者職業訓練もあります。

障害者就業・生活支援センター

　地域や市区町村にあり、一般就労している人が安心して働き続けられるように支援をしてくれます。仕事に就くまでの支援や、必要に応じてビジネスマナーの指導なども受けられます。

　また、すでに働いていて職場で困ったことがある場合は、職場訪問やジョブコーチの派遣などの支援もしてくれます。

●就労を希望する障害者への支援
就労移行支援事業所等への紹介や就労に向けたサポートを行う。

●日常生活の支援
生活面に関わるサポート。福祉サービスの活用や居住支援など。

●企業への雇用管理に関する支援
職場定着のための支援や雇用に関わる相談支援。

ジョブコーチとは？

　ジョブコーチとは、障害者が就労する時に、できること・できないことを職場に伝え、円滑に就労できるようにする役割をします。

また、すでに働いている障害者や職場に対しても、定着して長く働けるように支援します。

　障害者本人に対する日常生活やビジネスマナーなどのサポートを行うこともあり、障害者と職場の間にたち、両者のかけ橋となる存在です。

発達障害者支援センター

　発達障害のある人への支援を総合的に行うことを目的とした専門的機関です。教育、医療、労働などの各方面で関係機関と連携し、地域ネットワークを築きながら、発達障害者本人とその家族からの相談に応じ、支援をしています。

権利ようごセンター

　会社・施設・家庭で差別や人権侵害を受けた時に相談できるところです。また、消費生活、家族が亡くなった後の相続や金銭の管理などについても相談できます。

相談支援事業所

　障害者の福祉サービスについて相談できます。また、福祉サービスの利用計画の作成もしてくれます。福祉事務所で受給者証をもらいましょう。

福祉事務所（市区町村の福祉課など）

　地域には必ずある公立機関です。担当の福祉司さんやケースワーカーの人が相談にのってくれます。障害者・高齢者の福祉施設入所や手当などの手続きもしれてくれます。

職業ガイド
しょくぎょう

各ページには、職業の説明の他、特徴や注意点、似ている職業に
ついても記載していますので、参考にしてください。

職業の特徴 / 注意点	職業の特徴 / 注意点
似ている職業	似ている職業

事務・オフィス

一般事務・OA事務

ワード、エクセルは
できた方がいい!

社内の事務作業全般をこなす支え役

　各種資料の作成やデータ入力・集計、電話・メール対応など、社内における事務作業全般をこなします。専門的ではありませんが、色々な部署を裏で支える大切な役割で、周りの人とコミュニケーションを取ることも求められます。未経験からでもチャレンジできますが、メールのやり取りなどの基本的なパソコン操作、ワードやエクセルといったオフィス系ソフトが使えると有利です。

職業の特徴 / 注意点

・正確に仕事をし、裏方として支えるタイプに向いているでしょう。

・基本のビジネスマナーが必要です。

・経理や営業事務的なことなど、専門的なことを扱う職場もあります。

似ている職業　営業事務 / 医療事務 / データ入力

営業事務
えいぎょうじむ

臨機応変な
りんきおうへん
対応力が必要
たいおうりょく　ひつよう

営業担当のサポートをする仕事
えいぎょうたんとう

　営業担当者をサポートしながら、事務的な業務を担当します。一般事務
しゃ　　　　　　　　　　　　　　　　　　じむてき　ぎょうむ　　　　　　　　　　　　　　　いっぱん
同様、電話・メール対応、資料作成などの他に、見積書・請求書の作成、
どうよう　でんわ　　　　　　たいおう　しりょうさくせい　　　　　　　　　みつもりしょ　せいきゅうしょ
在庫や納期の管理、問い合わせなど、商品やサービスに関する知識も必要
ざいこ　のうき　かんり　と　あ　　　　　　　　しょうひん　　　　　　　　かん　　　ちしき　ひつよう
になります。また、顧客と直接やり取りすることもあるので、コミュニケーション
こきゃく　ちょくせつ　　と
能力も重要になります。チームで仕事をするのが好きなタイプに向いています。
のうりょく　じゅうよう　　　　　　　　　しごと　　　　　　　す　　　　　　　　む

職業の特徴 / 注意点

・急な仕事や退社時間の間際に仕事を頼まれることもあるので、臨機応変に対応
きゅう　　　たいしゃ　　　まぎわ　　　　たの　　　　　　　　　　　りんきおうへん

する能力が必要になります。

・顧客のクレーム対応をすることもあので、対人スキルも求められます。
たいじん　　　　　　もと

似ている職業　一般事務 / 医療事務 / 営業アシスタント / 営業
いりょう

コールセンター

相手の話を理解
することが必要

電話でお客さんの対応をする会社の窓口

　お客さんからの電話を受け、商品やサービスについての問い合わせに対応します。また、場合によっては注文受け付けやクレーム対応を行うこともあります。電話で話しながらパソコンへ入力することも多いので、パソコンの基本操作はできた方が良いでしょう。資格は必要なく、未経験からでもチャレンジできます。人の話をしっかりと聞き、理解することが求められます。

職業の特徴 / 注意点

・電話越しのコミュニケーション能力や会話のスキルが身につくでしょう。

・マニュアルがあることが多いですが、商品やサービスについて勉強しましょう。

・適切な対応をすることで、困っているお客さんから感謝されることもある仕事。

似ている職業　テレマーケティング / カスタマーセンター

データ入力

正確でスピーディーな入力が必要

パソコンを使いデータを打ち込む仕事

　パソコンを使い、数字や文字などのデータを入力する仕事です。データを間違えずに正確に入力することが必要です。マニュアルがあることが多いので、手順が決まっていると安心するタイプの人に向いているでしょう。やや単調な作業になることもありますが、もくもくと目の前の仕事をこなしていける人にはうってつけです。体を動かすよりはデスクワークが好きな人に向いています。

職業の特徴 / 注意点

・マニュアルや手順がしっかり用意されている場合が多いです。

・自分のペースで進められますが、早く正確に入力できるように努力しましょう。

・長時間パソコンに向かうため、目や肩の疲れ、腰などの痛みに注意が必要です。

似ている職業　一般事務 / 営業事務

経理
（けいり）

日商簿記（にっしょうぼき）の資格（しかく）を
持（も）っていると有利（ゆうり）！

会社（かいしゃ）のお金（かね）の流（なが）れを管理（かんり）する重要（じゅうよう）な役割（やくわり）

　会社の日々（ひび）のお金の流れを管理する仕事です。伝票整理（でんぴょうせいり）や記帳（きちょう）から、各部署（かくぶしょ）の請求書（せいきゅうしょ）や領収書（りょうしゅうしょ）の確認（かくにん）や発行（はっこう）、決算書（けっさんしょ）の作成（さくせい）など、会社全体（ぜんたい）のお金の動（うご）きを記録（きろく）し分（わ）かるようにします。数字（すうじ）を扱（あつか）う仕事なので、正確（せいかく）さや注意深（ちゅういぶか）さが求（もと）められます。ミスなく全（すべ）ての数字が合（あ）うと、達成感（たっせいかん）が味（あじ）わえるでしょう。簿記（ぼき）の資格（しかく）があると有利（ゆうり）でしょう。

職業の特徴 / 注意点

・長時間（ちょうじかん）数字と向（む）き合（あ）うため、ミスなく作業（さぎょう）する集中力（しゅうちゅうりょく）が必要（ひつよう）です。

・日商簿記（にっしょうぼき）（できれば2級以上（きゅういじょう））を持（も）っていると有利でしょう。

・数字を扱（あつか）うことが好（す）き・得意（とくい）で、几帳面（きちょうめん）な性格（せいかく）の人に向（む）いているでしょう。

似ている職業　財務（ざいむ）・会計関連（かいけいかんれん）

受付
（うけつけ）

笑顔で気持ちの良い
対応を忘れずに！

訪れた人に最初に対面する、企業の顔

　企業やデパート、病院などで来客への応対や案内をする仕事です。訪れた人が最初に接する相手となるので、笑顔で明るく対応し、良い印象を与えることが求められます。正しい敬語や礼儀作法、ビジネスマナーが必要になります。人と接することが好きで、ホスピタリティ精神のある人に向いているでしょう。会議室の予約など、パソコンの基本操作ができるとよいでしょう。

職業の特徴 / 注意点

・礼儀や言葉遣い、ビジネスマナーなどのスキルが求められます。

・必須の資格はありませんが、会議室の予約やメール対応などパソコンが使えるとよいです。笑顔と明るさで良い印象を与えましょう。

似ている職業　秘書 / 客室乗務員

秘書
（ひしょ）

多忙な人（たぼうなひと）をサポート
するアシスタント

経営者（けいえいしゃ）などが本業（ほんぎょう）に集中（しゅうちゅう）できるようにサポート

　社長（しゃちょう）や役員（やくいん）、政治家（せいじか）など多忙（たぼう）な人（ひと）が本業に集中できるようにサポートをする仕事です。スケジュール管理（かんり）やメール・手紙（てがみ）の処理（しょり）、電話応対（でんわおうたい）など、仕事内容（ないよう）は様々（さまざま）です。文部科学省認定（もんぶかがくしょうにんてい）の「秘書技能検定（ひしょぎのうけんてい）」を取得（しゅとく）していると有利（ゆう り）でしょう。気配（きくば）りができ、正（ただ）しい敬語（けいご）や身（み）だしなみが整（ととの）っていることが求（もと）められます。人（ひと）のサポートをすることにやりがいを感（かん）じる人に向（む）いているでしょう。

職業の特徴 / 注意点

・基本的なビジネスマナーやコミュニケーション能力（のうりょく）、社会常識が必要（ひつよう）です。

・秘書技能検定の資格（しかく）を取得していると有利でしょう。

・急な予定変更など、常に先回りして物事を考えられる力が必要です。

似ている職業　マネージャー / 客室乗務員（きゃくしつじょうむいん） / 受付（うけつけ）

通訳
つうやく

言葉の壁を取り除く
スペシャリスト

言葉を使い、日本と外国の架け橋になるスペシャリスト

　ビジネスや観光などで、異なる言語を互いの国の言葉に変換して、意思疎通ができるようにする仕事です。外国語と日本語のスキルはもちろん、文化や歴史、生活習慣などへの知識も求められます。将来的にはフリーランスで活躍することが望めますが、最初は派遣会社に登録するなどしてキャリアを始めます。単に言葉を話せるだけでなく、専門分野に強みがあると有利でしょう。

職業の特徴 / 注意点

・英語なら、まずは TOIEC 等の試験で高得点を目指しましょう。

・資格は必須ではありませんが、観光ガイドをするなら「通訳案内士」という国家資格を目指すとよいでしょう。

似ている職業　翻訳家 / ツアーコンダクター

販売・営業・飲食・サービス

テレマーケティング

基本のパソコン操作
はできた方がよい

顧客・業者との電話応対をし、サービスを案内します

　お客さんに電話をかけ、商品やービスの紹介・購入を促す仕事です。ていねいな言葉遣いやコミュニケーション能力が必要です。マニュアルが用意されていたり、研修が行われることが多いので、未経験の人でもチャレンジできる仕事です。時にはクレームにあうこともあるので、気持ちを引きずらず切り替えできる人に向いているでしょう。

職業の特徴 / 注意点

・電話の内容を入力するため、基本的な OA ソフトのスキルや入力スピードがあるとよいでしょう。

・手順がしっかりあると安心するタイプに向いているでしょう。

似ている職業　カスタマーセンター / ヘルプデスク / コールセンター

営業アシスタント
えいぎょう

えいぎょうたんとう　こうほう
営業担当を後方か
らサポートする！

そとまわ　う あ　おお えいぎょうたんとう こうほうしえん
外回りや打ち合わせの多い営業担当の後方支援

　営業担当者をサポートし、事務作業等をする仕事です。スケジュール管理や、
じむさぎょうとう　　　　　　　　　　　　　　　　　　　かんり

文書や資料の作成、電話やメールの対応などです。場合によっては、来客の
ぶんしょ しりょう さくせい　でんわ　　　　　　たいおう　　ばあい　　　　らいきゃく

対応や営業担当者に同行することもあります。誰かをサポートすることに喜び
どうこう　　　　　　　　だれ　　　　　　　　　　　よろこ

を感じる人や将来営業職につきたい人に向いているでしょう。資格等は必要
かん　　しょうらい しょく　　　む　　　　　　　しかく　ひつよう

ありませんが、基本的なパソコンスキル、ビジネスマナーは求められます。
きほんてき　　　　　　　　　　　　　もと

職業の特徴 / 注意点

・ワード、エクセルの基本的な操作はできるとよいでしょう。
そうさ

・事務作業が中心でも、電話や来客応対・同行などで取引先の対応をすることが
ちゅうしん　　　　　　　　　　　とりひきさき

多いので、基本的なビジネスマナーが必要になります。
おお

似ている職業　営業事務 / 営業 / 一般事務
いっぱん

食品販売
しょくひんはんばい

あいさつや身だし
なみは必須です！

笑顔と清潔感を大切に、食品をお客さんに販売

　お総菜やドリンク、スイーツなどの食品をお客さんに販売する仕事です。食品を扱うので、清潔感が何より大事です。身だしなみを整え、衛生管理に気を配る必要があります。接客や、他の販売員とも会話をするので、コミュニケーション能力も重要です。未経験・無資格でも大丈夫ですので、チャレンジしやすい仕事でしょう。立ち仕事なので、疲れることもあります。

職業の特徴 / 注意点

・就労経験がなくてもチャレンジしやすい仕事です。

・あいさつや身だしなみといった基本的な対人マナーが必要です。

・レジの操作やラッピング、清掃なども担当することがあります。

似ている職業　レジ係 / コンビニ

イベントスタッフ

みんなでイベントを
作り上げる達成感！

仲間のスタッフと一緒にイベントの成功を支える仕事

　各地で開催されるライブやスポーツなどのイベント会場でスタッフとして働きます。

会場設営・受付・お客さんの誘導・グッズ販売など、様々な担当があります。

イベントによっては、野外で長時間立ち仕事になることもあります。体力があ

る人に向いているでしょう。仕事ができるようになると、現場責任者やマネージ

メントする仕事への昇格も見込めます。

職業の特徴 / 注意点

・大勢のスタッフとイベントを成功させる達成感があるでしょう。また、イベント

が円滑に進むことで、お客さんの笑顔を見る喜びがあります。

・体力を使うので、アルバイト形態で無理なく働くことも考えましょう。

似ている職業　警備員 / イベントプロデューサー

レジ係(がかり)

スピーディーかつ、
正確(せいかく)な仕事を！

お客(きゃく)さんと対面(たいめん)し、商品(しょうひん)の精算(せいさん)を行(おこな)う仕事

　スーパーマーケットなどのお店(みせ)で、買(か)い物代金(ものだいきん)を計算(けいさん)して、お客(きゃく)との金銭(きんせん)のやりとりを行(おこな)う仕事です。ほとんどの店でレジ用(よう)のシステムが導入(どうにゅう)されているので、商品のバーコードを読(よ)み取(と)ると計算は自動的(じどうてき)に行われます。正確(せいかく)にテキパキ仕事をこなしていくのが好きなタイプに向(む)いています。お客さんと直接(ちょくせつ)対面するので、笑顔(えがお)や言葉遣(ことばづか)い等(とう)のマナーも必要(ひつよう)です。

職業の特徴 / 注意点

・長時間(ちょうじかん)の立(た)ち仕事なので、体力(たいりょく)が必要です。

・お金(かね)を扱(あつか)う仕事なので、ミスのない正確な仕事が求(もと)められます。

・店内(てんない)の清掃(せいそう)など、他(ほか)の業務(ぎょうむ)も行うことがあります。

似ている職業　食品販売(しょくひんはんばい) / コンビニ

アパレル・コスメ販売

接客が好き！
人と話すのが好き！

お客さんの要望を聞き出し接客販売をする、ショップの顔

　店頭でお客さんに接客販売を行う仕事です。試着やレジ業務の他、商品管理などの関連業務も行うことが多いです。商品知識・ブランド知識に加え、お客さんとの会話の中から、「どんなものが好きか」「何を提案したら良いか」といったことを聞き出すことが求められます。ファッションやコスメが好きで、笑顔を絶やさず、人と接する仕事が好きな人に向いているでしょう。

職業の特徴 / 注意点

・店舗やブランドの顔となるので、明るく接客することが求められます。
・研修がない場合でも、実務を行いながらのスキルアップが望めます。
・長時間の立ち仕事なので、体力が必要です。

似ている職業　食品販売 / スーパー売り場管理

ホールスタッフ

笑顔（えがお）でお客（きゃく）さんを
おもてなし！

笑顔で対応する飲食店の接客担当

　レストランやカフェなどの飲食店で、接客サービス全般をする仕事です。来店したお客さんを席に案内し、注文を伺います。テーブルへの配膳、レジでの会計まで幅広い仕事があります。立ちっぱなしのことが多いので体力を使いますし、慣れないうちは覚えることが多いかもしれません。時間にも融通が効く職場もあり、無資格・未経験からでもチェンジできます。

職業の特徴 / 注意点

・長時間立ちっぱなしのため体力が必要です。

・接客を続けるうちに、自然とコミュニケーション能力が上がる人もいます。

・お客さんだけでなく、厨房とのコミュニケーションも求められます。

似ている職業　食品販売 / レジ係 / キッチンスタッフ

キッチンスタッフ

自分の料理を食べ
て喜んでもらえる！

作る楽しさ、食べてもらう喜びを感じられる仕事

　飲食店などで、調理を担当します。また、食器洗いなどの仕事もあります。
簡単な作業をする調理補助からスタートし、徐々に作れる料理を増やしてい
きます。注文が沢山来て、複数の料理を並行して作るときもあるので、あせらず、
効率よくこなしていくのが得意な人に向いているでしょう。作る楽しさに加え、
自分の作った料理でお客さんが喜んでくれるやりがいを感じられる仕事です。

職業の特徴 / 注意点

・料理をいくつも作ることで、段取り力などがつくでしょう。

・調理師の免許がなくても料理の仕事はできます。ただし、「調理師」と名乗る

ためには、調理師国家試験に合格する必要があります。

似ている職業　調理師 / ホールスタッフ

ホテルスタッフ

お客さんを
もてなす喜び！

最高_{さいこう}のホスピタリティでお客さんに満足_{まんぞく}を提供_{ていきょう}するホテルの顔_{かお}

ホテルに来_くるお客さんに対_{たい}してさまざまなサービスを提供_{ていきょう}します。お客さんの対応_{たいおう}をするフロント、ベッドメイキングなどをするハウスキーピング、ドアの開閉_{かいへい}をするドアマンなど、様々_{さまざま}な仕事_{しごと}があります。いろいろな目的_{もくてき}でホテルを利用_{りよう}するお客さんに対_{たい}し、適切_{てきせつ}なマナーとコミュニケーションで最高_{さいこう}のおもてなしをします。サービスの質_{しつ}がそのままホテルの評価_{ひょうか}につながるので重要_{じゅうよう}な仕事です。

職業の特徴 / 注意点

・お客さんとだけではなく、スタッフ間_{かん}のコミュニケーションも必要_{ひつよう}です。

・どんな職種_{しょくしゅ}でも活_いかせるようなマナーが身_みにつくでしょう。

・人_{ひと}のために何_{なに}かをしてあげたい、それに喜_{よろこ}びを感_{かん}じる人に向_むいているでしょう。

似ている職業　受付_{うけつけ} / ブライダルスタッフ

コンビニ

短時間や深夜など
時間に融通がきく

身近なコンビニで地域に日常的なサービスを提供

　コンビニエンスストアで、レジや接客、商品の陳列や店内の清掃などをします。その他にも、宅配便の取り扱いや公共料金の支払い受付など、商品販売以外にも沢山のサービスを提供しています。そのため慣れないうちは大変かもしれませんが、仕事の手順が決まっていると安心して働けるタイプの人に向いているでしょう。立ち仕事なので体力を使いますが、短時間からでも働けます。

職業の特徴 / 注意点

・接客なので基本のあいさつやマナーが必要です。

・マニュアルがあったり手順がハッキリしているので安心できます。

・短時間や深夜など、勤務時間に融通がききやすい職業です。

似ている職業　レジ係 / スーパー売り場管理

スーパー売り場管理

地域のお客さんに
喜んでもらえる店を！

売上を左右する陳列を担当する

　スーパーマーケットは店舗の規模にもよりますが、様々な部門に分かれています。売り場管理では、商品の品出しと陳列、消費期限のチェックなどの仕事をします。陳列の仕方によって売れ行きに影響があるため重要な役割です。品出しの際にお客さんに売り場を聞かれたり接客をする場面があります。地域のお客さんに満足してもらい、売上が上がるとやりがいを感じられるでしょう。

職業の特徴 / 注意点

・時間帯によって忙しく、また店内を動き回るため、体力も必要です。

・きちんと数を管理するのが得意な人に向いているでしょう。

・他の売り場や部門の人とのコミュニケーションも大切になります。

似ている職業　レジ係 / コンビニ

ネイリスト

綺麗(きれい)になり喜(よろこ)ぶお客(きゃく)さんの顔(かお)を見(み)れる!

爪(つめ)の健康(けんこう)と美容(びよう)に関(かん)するスペシャリスト

　お客(きゃく)さんの爪(つめ)を綺麗(きれい)に手入(てい)れし、絵(え)や飾(かざ)りで装飾(そうしょく)し、美(うつく)しくする仕事です。爪(つめ)の美容(びよう)に関(かん)する専門家(せんもんか)です。資格(しかく)や免許(めんきょ)は必要(ひつよう)ありませんが、ネイリスト技能検定(ぎのうけんてい)などの資格(しかく)があると有利(ゆうり)でしょう。お客(きゃく)さんが綺麗(きれい)になって喜(よろこ)ぶ顔(かお)を見(み)れるのが何(なに)よりのやりがいです。技術(ぎじゅつ)が向上(こうじょう)すれば、フリーランスになったり独立(どくりつ)して店舗(てんぽ)を出(だ)すことも目指(めざ)せます。

職業の特徴 / 注意点

・自分(じぶん)の技術でお客さんが喜んでくれる、やりがいのある仕事です。

・技術が勝負(しょうぶ)の世界(せかい)なので、独立やフリーランスを目指すこともできます。

・美的(びてき)センスを磨(みが)き、流行(りゅうこう)にもアンテナをはりましょう。

似ている職業　エステティシャン / マッサージ師(し) / 美容師(びようし)

カスタマーサポート

電話越しにお客さんの不安を解消！

商品のトラブルや操作などの問い合わせに対応する

　お客さんからの問い合わせに電話やチャット等で応える仕事です。マニュアルは用意されていますが、パソコンや電化製品などの操作が複雑な商品に対するトラブルや相談も受けるため、専門的な知識も必要になってきます。電話越しのコミュニケーションなので、お客さんの気持ちになり、どんなことに困っているかをくみ取る力があるとよいでしょう。

職業の特徴 / 注意点

・高度な質問や操作に関しては「ヘルプデスク」という別の窓口が用意されていることもあります。

・クレームやマニュアル外の問い合わせもあるので、冷静な対応が求められます。

似ている職業　コールセンター / ヘルプデスク

家電・携帯販売

自分の提案で
お客さんの満足を！

家電や携帯電話の販売でお客さんの要望を満たす

　家電量販店や携帯電話ショップでお客さんに向けて家電や携帯電話を販売する仕事。研修やマニュアルはありますが、担当商品についての知識を深めるために勉強は欠かせません。お客さんが何を欲しがっているかをくみ取り、商品を提案することが求められます。デスクワークよりは、人と話をしてコミュニケーションを取る仕事が好きな人に向いているでしょう。

職業の特徴 / 注意点

・資格や免許は必要ありませんが、次々に新製品が出るので勉強が必要です。

・接客をするので、基本的なマナーや身だしなみ、言葉遣いは必要です。

・自分の提案によって、お客さんに満足してもらえるとやりがいを感じるでしょう。

似ている職業　パソコン販売 / 自動車販売 / テレマーケティング

生保・損保事務

契約に関わるので、
責任感のある仕事を

生保・損保共にお客さんからの信頼を得ることが重要です

　保険会社や販売代理店で、保険の手続きや問い合わせ等の仕事をします。また、契約をはじめ各種書類の作成やお客さんへの説明などの業務があります。専門的な知識が必要ですが、研修が整っている会社が多いので、入社してから学べば未経験からでもチャレンジできます。働きながら生命保険・損害保険の取り扱いに必要な資格を取得しましょう。

職業の特徴 / 注意点

・資格がなくても就職できることが多いですが、生保事務の場合は「生命保険一般課程試験」、損保事務の場合は「損害保険募集人一般試験」などの資格を入社後に取得しましょう。

似ている職業　一般事務 / 営業事務

IT・エンジニア

プログラマー

自分で組み立てた
ものが動く喜び!

プログラミング言語を駆使する、IT業界に欠かせない仕事

　プログラマーの基本的な業務は、プログラミング言語を使ってプログラムを組み、システムやソフトウェアを作ることです。全体のプログラムの仕様はSE（システムエンジニア）が決め、それに基づきプログラムを組みます。ITパスポートや基本情報技術者といった資格を持っていると役立つでしょう。コンピュータだけでなく、家電にもITが組み込まれている今、需要がある仕事です。

職業の特徴 / 注意点

・仕様やルールなどが細かく決まっている場合が多いので、手順に従って仕事をするのが得意なタイプで、言語の勉強に熱心な人に向いているでしょう。

・納期にせまられたり、バグに対応したりなどで、残業がある場合があります。

似ている職業　システムエンジニア / デバッガー

CAD オペレーター

ものづくりの喜び
が味わえる!

様々な分野で図面を作り上げる技術者

　CAD(キャド)というソフトを使って、建築やアパレルなどの分野で使われる図面を作成する仕事です。設計者やデザイナーから指示を受け、正確な図面を作成することが求められます。オペレーターは設計はしませんが、設計者とのコミュニケーション能力が必要です。資格は必要ありませんが、スクール等で基本的な CAD 操作を学んでから就職する方が有利でしょう。

職業の特徴 / 注意点

・ものづくりが好きなタイプに向いているでしょう。

・スクール等でソフトの基本操作を学んでおくとよいでしょう。

・もくもくと地道な作業が得意なタイプに向いているでしょう。

似ている職業　DTP オペレーター / データ入力

システムエンジニア

人をまとめ、作り
上げるやりがい！

設計から管理まで、開発チームのまとめ役

　依頼者の要望にあわせたシステムの設計を行い、仕様書を作り上げます。その仕様書に基づいてプログラマーがプログラムを組みます。システム開発における、プロジェクトチーム全体のまとめ役なので、リーダーシップや調整力が求められます。依頼者の要望を聞いて全体図を描くため、ヒアリング力・コミュニケーション力も必要です。

職業の特徴 / 注意点

・納期がせまると残業が多くなることがあります。

・情報処理について学べる専門学校を卒業すると有利でしょう。

・新しいものを進んで学べるタイプに向いているでしょう。

似ている職業　プログラマー / プロダクトマネージャー

OA インストラクター

教えた人の成長
が見れる！

パソコンやソフトウエアの使い方を教える先生役

　パソコンやソフトウエアの使い方を教える仕事で、「パソコンインストラクター」とも呼ばれています。教わる人のスキルに合わせた説明やコミュニケーションが必要です。人に教えるのは難しいですが、教えた人ができるようになるのを見たり、感謝される喜びがあります。特定の資格や学歴は必要ありませんが、Microsoft が公式認定している資格があると有利でしょう。

職業の特徴 / 注意点

・人に説明したり教えるのが得意なタイプに向いているでしょう。

・人に合った教え方やヒューマンスキルが求められます。

・Microsoft や Adobe 等、ソフトに合わせた企業の資格があると有利でしょう。

似ている職業　パソコン教室 / 一般事務・OA 事務

デバッガー

バグを発見する
縁の下の力持ち！

ゲームやソフトのバグ修正や改善に欠かせない存在

　ゲームやソフト、システムなどが意図した通りに動くかどうか、実際に動かして確認する仕事です。ゲームであれば、どんな場面でバグが発生するかや発生頻度などについてレポートします。みんなで作り上げた製品が世間に出る前にチェックする、縁の下の力持ちです。数時間プレイするため、体力や集中力、注意力が必要です。業界によっては、「テスター」と呼ばれることもあります。

職業の特徴 / 注意点

・資格や学歴は必要ありません。

・何度もプレイすることもあるので、没頭できるタイプに向いているでしょう。

・製品の品質を裏で支えているという責任感が必要です。

似ている職業　テスター / テストエンジニア / 校正者

キッティング係

パソコンを設定し使えるようにする

パソコンを業務で使える状態にセットアップする

　パソコン等の機器にソフトのインストールや設定を行い、ユーザーがすぐに業務で使える状態にする仕事です。手順通りに行えば良い場合もあり、チャレンジしやすい仕事です。また、デスクワークがほとんどですので、体を動かしにくい人にも向いています。パソコンを触るのが好き、基礎知識があるのはもちろん、ITパスポートなどの資格があると有利でしょう。

職業の特徴 / 注意点

・パソコンの基本操作や基礎知識は持っていた方がよいでしょう。

・地道に単調な作業が続く場合があります。

・ITパスポートなどの資格があると有利でしょう。

似ている職業　パソコン修理・検品

印刷オペレーター

自分の手で印刷物を
作り上げる！

機械を操作して、印刷物を作りあげる

　印刷会社で機械を操作し、色の調整などを行いながら印刷物を仕上げる仕事です。簡単な印刷物から専門性の高いものまであります。資格は必要ありませんので、助手をしながら印刷技術を磨いていきます。コンピュータも使いますが、インクや色の知識、機械のメンテナンス作業なども必要になります。細かい点に気づき、確認作業がきちんとできる人に向いているでしょう。

職業の特徴 / 注意点

・色のチェックが必要なため、色覚異常がない方が向いているでしょう。

・小さい会社だと早い段階から全行程に関われる良さもあり、大きな会社だと新しいシステムと触れたり大きな案件に関われます。

似ている職業　DTP オペレーター

AI エンジニア

最先端の技術を
ビジネスに役立てる

AI（人工知能）を使って、ビジネス上の課題を解決する仕事

　AI（人工知能）を活用して、業務上の課題を解決する仕事です。最先端の技術なので、高度なスキルが求められます。人ができることを単純に機械に置き換えるのではなく、結果を引き出すためには AI にどんなデータを与え、どんなことを学習させればよいか、といった視点で開発していくことが求められます。常に最新の技術や知識を習得する向上心も必要です。

職業の特徴 / 注意点

・専門の学校や大学を卒業し、IT 企業へ就職する人が多いです。

・最先端の分野であり、これからますます需要が見込まれる職業です。

・知識や技術はもちろん、試行錯誤を繰り返し結果を求める忍耐力も必要です。

似ている職業　プログラマー、システムエンジニア、データアナリスト

メディア・
クリエイティブ

WEB デザイナー

みんなが使いやすい
サイトを作る！

ユーザー目線で、使いやすい WEB サイトを制作

　インターネット上のウェブサイトをデザインする仕事です。サイトに訪れる人が見やすく・使いやすいように「ユーザー目線」で作る必要があります。ディレクターなど他のスタッフとチームを組んで仕事をすることが多いので、コミュニケーション能力も重要です。Web の業界は変化が早いので、最新の技術や知識を勉強してく向上心のある人に向いています。

職業の特徴 / 注意点

・資格は必要ありませんが、デザイン系のソフトが使えるといいでしょう。

・デザインやコーディングの一部だけを仕事として発注されることもあります。

・納期に縛られるため、残業や急な仕事に追われる可能性があります。

似ている職業　グラフィックデザイナー /DTP オペレーター

グラフィックデザイナー

センスを生かして
印刷物をデザイン

企業や商品の目的に適した印刷物をデザイン

　名刺やチラシ、ポスターなどの印刷物をデザインする仕事です。商品を売るため、企業のイメージを上げるため、といった目的に沿ったデザインが求められます。資格は必要ありませんが、Illustrator、Photoshop といったソフトが扱えるといいでしょう。ディレクターやカメラマン、イラストレーターなどと連携して制作します。締め切りが近いと、残業が増えることもあります。

職業の特徴 / 注意点

・Web に対応できると仕事の幅が広がります。

・独立してフリーになる人も多くいます。

・グラフィックソフトの扱いだけではなく美的センスも磨きましょう

似ている職業　WEB デザイナー / イラストレーター /DTP オペレーター

DTP オペレーター

デザインを形に
仕上げる喜び！

デザイン案に基づいて、PC を使いデザインやレイアウトを完成

　グラフィックデザイナー等によるラフやデザイン案を基に、DTP ソフトを用いてレイアウトを行う仕事です。資格は必須ではありませんが、DTP エキスパートや DTP 検定を持っていると有利でしょう。納期を守らなければならないので、責任感があり、確実性が求められます。ていねいに仕事をする職人気質の人に向いているでしょう。

職業の特徴 / 注意点

・パソコンを使うため、肩こりや眼精疲労に注意しましょう。

・独学も可能ですが、専門学校や DTP コースのあるパソコンスクールに通うことも考えてみましょう。

似ている職業　印刷オペレーター /WEB デザイナー / グラフィックデザイナー

イラストレーター

絵を描く技術で
役に立つ喜び！

要望に応じてイラストやキャラクターを描く仕事

　依頼主の要望に応じてイラストを描く仕事です。雑誌や書籍、ポスターや
パンフレットなどの印刷物で使うイラストの他に、アイコンやキャラクター作成
などの案件もあります。資格や学歴は必要ありませんが、どんなイラストが求め
られているのか理解する能力が必要です。もちろん、絵を描く実力やセンスも
求められます。フリーで働く人も多い職業です。

職業の特徴 / 注意点

・データで納品することが多いので、パソコンやタブレットが使い、デジタルで

描けるといいでしょう。

・描きたい絵を好きに描くのではなく、要望に応じて描くことが求められます。

似ている職業　グラフィックデザイナー / キャラクターデザイナー / 漫画家

ゲームクリエーター

世界中の人がプレイ
するゲームを作る！

いろいろな人と協力しながら、共同でゲームを作り上げる

　ゲームクリエイターには、様々な役割があります。予算や人員など全体を管理するプロデューサー。現場で制作進行をするディレクター。企画を担当するプランナーなどです。他にもシナリオライターやサウンドデザイナー、プログラマーなど、多くの人と協力しながらゲームを作り上げます。ゲームメーカーやソフト制作会社への就職からスタートすることが多いでしょう。

職業の特徴 / 注意点

・多くの工程や人が関わるので、チームワークを大切にし、協力して仕事を進めていく能力が必要です。

・企画が主な仕事の場合は、アイデアを生み出す能力が求められます。

似ている職業　シナリオライター / デバッガー

カメラマン

写真(しゃしん)を撮(と)る喜(よろこ)びを
仕事にする

写真(しゃしん)を撮(と)ることが大好(だいす)きという情熱(じょうねつ)を仕事に

雑誌(ざっし)や広告(こうこく)、報道(ほうどう)、スポーツなど、様々(さまざ)な分野(ぶんや)で写真を撮る仕事です。ほとんどのカメラマンは専門的(せんもんてき)な領域(りょういき)を持(も)っています。資格(しかく)や学歴(がくれき)はいりませんが、カメラの専門学校等(せんもんがっこうとう)で基礎技術(きそぎじゅつ)を身(み)に付(つ)けておくと有利(ゆうり)でしょう。アシスタントからスタートすることが多(おお)いでしょう。下積(したず)みも長(なが)く、体力(たいりょく)も忍耐力(にんたいりょく)も必要(ひつよう)ですが、写真が好きという気持(きも)ちを忘(わす)れずに頑張(がんば)りましょう。

職業の特徴 / 注意点

・何年(なんねん)も下積みをすることもあるので、忍耐力が必要です。

・カメラの専門学校やカメラマン養成(ようせい)スクール等に通(かよ)うとよいでしょう。

・撮影対象(さつえいたいしょう)によっては機材(きざい)を持(も)ち色々(いろいろ)な場所(ばしょ)に行(い)くので体力も必要です。

似ている職業　映像(えいぞう)カメラマン / 写真現像技術者(げんぞうぎじゅつしゃ)

校正者
こうせいしゃ

**集中力と根気で
ミスを探し出す！**

本や雑誌の原稿の間違いをチェックする根気が必要

　本や雑誌の誤字、脱字、文法などを細かくチェックする仕事です。内容の整合性を確認する「校閲」を兼務することもあります。沢山の文章を読み、間違いを見つけ出すため、集中力が求められます。根気があり、黙々と地味な作業でも続けられるタイプの人に向いているでしょう。資格は必要ありませんが、スクールに通ったり資格試験を受けて技能アップを目指すこともできます。

職業の特徴 / 注意点

・集中力があり、黙々と仕事をこなせるタイプの人に向いているでしょう。

・長時間原稿と向き合うため、眼精疲労や肩こりに注意しましょう。

・出版社等に就職する他、フリーランスの人も少なくありません。

似ている職業　編集者 / ライター

TV番組AD

華やかなテレビ制作
を支える仕事！

華やかなテレビ番組を裏で支える仕事

　ADは、アシスタントディレクターの略です。ディレクターがイメージするテレビ番組を作るために、情報リサーチやお弁当の発注などの雑事を行い、サポートする仕事です。長時間の労働や深夜・休日返上で働くこともあります。「いつかディレクターになって自分の番組を作りたい！」という気持ちがなければ務まりません。放送局や制作会社等に就職するのが一般的です。

職業の特徴 / 注意点

・テレビ番組が好きで、いつか自分の番組を作りたいという気持ちが必要です。

・華やかなテレビ業界ですが、ADの仕事は細かく地味な仕事ばかりです。いろいろな現場に行くため体力も必要です。

似ている職業　美術スタッフ / 照明スタッフ

放送作家
（ほうそうさっか）

もっとおもしろい
番組（ばんぐみ）を作（つく）りたい！

テレビやラジオの企画（きかく）・構成（こうせい）を考（かんが）えるアイデアマン

　テレビやラジオの番組（ばんぐみ）の企画（きかく）や構成（こうせい）を考える仕事です。ふだん何気（なにげ）なく見（み）ているテレビも、ドラマ以外（いがい）の番組には放送作家（ほうそうさっか）（構成作家（こうせい））がいます。事務所（じむ）に所属（しょしょぞく）する人もいれば、フリーランスで活動（かつどう）したり形態は様々（さまざま）です。専門（せんもん）学校（がっこう）やシナリオライター講座（こうざ）等（とう）で勉強（べんきょう）するのも良いでしょう。「番組をもっとよくしたい、面白（おもしろ）くしたい」という気持（きも）ちが大切（たいせつ）です。

職業の特徴 / 注意点

・放送作家の事務所に就職（しゅうしょく）したり、企画を書（か）いて制作会社（せいさくがいしゃ）に持（も）ち込（こ）んでのデビューや、ラジオ番組にメールを投稿（とうこう）する流（なが）れでなるなど、入口（いりぐち）も様々です。

・常（つね）に面白いものや時代（じだい）の流行（りゅうこう）に対（たい）するアンテナをはることが必要（ひつよう）です。

似ている職業　脚本家（きゃくほんか） / プロデューサー

音響スタッフ
（おんきょう）

**裏方的な職人タイプ
の人に向いています**
（うらかたてき　しょくにん）（む）

技術とセンスで音響関係を支える職人
（ぎじゅつ）（おんきょうかんけい　ささ　しょくにん）

　ライブや舞台、テレビ等で音響の調整をする仕事です。マイクの位置や音量、響きを調節したり、音響全般を担当します。現場によって「PA」「ミキサーさん」などの呼び方があります。音を聞き分けられる耳の良さはもちろん集中力も必要です。機材を運び込んだりするので体力があり自動車免許を持っていると有利でしょう。専門の学校を出て音響関連の会社に入るのが一般的です。

職業の特徴 / 注意点

・長時間労働になったり、機材を運ぶこともあるので体力が必要です。
（ちょうじ　かんろうどう）

・新しい技術や機材が次々に出るので、向上心のある人に向いているでしょう。
（あたら　ぎじゅつ）（つぎつぎ　で）（こうじょうしん　む）

・裏方で支え、現場をサポートすることに喜びを感じる人に向いているでしょう。
（うらかた　ささ）（よろこ　かん）

似ている職業　レコーディングエンジニア

編集者

沢山（たくさん）の人が読（よ）んでくれる喜（よろこ）び！

本（ほん）づくりの最初（さいしょ）から最後（さいご）までに関（かか）わる

　本や雑誌（ざっし）の企画（きかく）・制作（せいさく）をし、出版物（しゅっぱんぶつ）ができあがる状態（じょうたい）まで作（つく）り上（あ）げる仕事（しごと）です。時（とき）には執筆（しっぴつ）も行（おこな）うことがあります。ライター、デザイナー、イラストレーターなど多（おお）くの人と関（かか）わるので柔軟（じゅうなん）な対応力（たいおうりょく）も必要（ひつよう）です。文章（ぶんしょう）やデザインのセンスと、スケジュールや予算（よさん）を意識（いしき）し管理（かんり）する能力（のうりょく）の両方（りょうほう）が必要です。出版社（しゅっぱんしゃ）や編集（へんしゅう）プロダクションに就職（しゅうしょく）するのが一般的（いっぱんてき）です。

職業の特徴 / 注意点

・締切（しめきり）に追（お）われ、仕事が立（た）て込（こ）むと忙（いそが）しくて残業（ざんぎょう）が続（つづ）くこともあります。

・得意（とくい）な分野（ぶんや）があり、好奇心旺盛（こうきしんおうせい）な人に向（む）いているでしょう。

・複数（ふくすう）の人や制作物（せいさくぶつ）に関（かか）わるので、段取（だんど）り良（よ）く仕事をすることが求（もと）められます。

似ている職業　ライター / 校正者（こうせいしゃ）

医療・介護・研究・教育

医療事務
（いりょうじむ）

**医療現場における
事務作業を担当**
（いりょうげんば）（じむさぎょう たんとう）

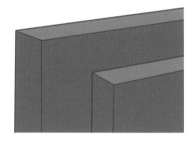

医療現場に欠かせない事務作業全般を担う
（いりょうげんば か じむさぎょうぜんぱん にな）

病院やクリニックで、窓口業務や事務全般の仕事をします。医療費の計算をする業務は、専門知識を必要とします。資格は必要ありませんが、医療事務の民間資格を持っていると有利でしょう。出産で一度仕事を離れたあと復職したり、子育てとの両立もしやすく女性が安心して働ける仕事です。また、窓口で患者さんと応対するため、コミュニケーション能力も必要です。

職業の特徴 / 注意点

・民間資格は、資格スクールの講座などで取得できます。

・患者さんが安心できるように、やさしく声がけしたり、気が利くタイプの人に向いているでしょう。診療報酬や会計業務では、正確な処理が求められます。

似ている職業　一般事務・OA事務 / 営業事務 / 経理

介護福祉士
かいごふくしし

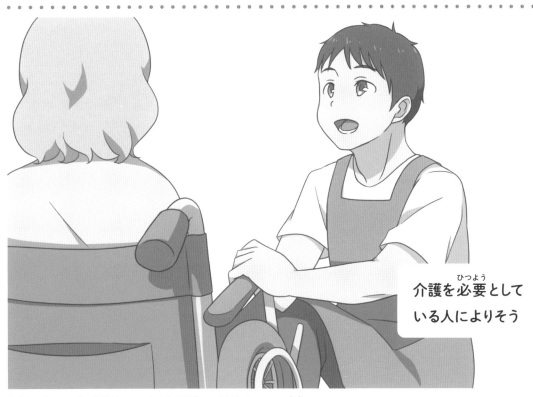

介護を必要として
ひつよう
いる人によりそう

高齢者や障害者を身体的・精神的に支える
こうれいしゃ　しょうがいしゃ　しんたいてき　せいしん　ささ

　老人ホームや介護施設等で、高齢者や障害のある人の生活を介護する仕事です。入浴、着替え、排泄、移動の介助や、掃除、洗濯、食事といった日常生活のサポートを行います。また、身体的・精神的な介護はもちろん、家族の相談にも答えたり助言もします。介護福祉士は国家資格です。忍耐力があり、人の役に立つことにやりがいを感じる人に向いているでしょう。

職業の特徴 / 注意点

・介護福祉士国家試験に受験して合格する必要があります。また養成施設を卒業することでも資格が得られます。ただ、今後は養成施設を卒業しても国家試験を受けることが義務化される予定です。

似ている職業　介護助手 / ホームヘルパー
じょしゅ

介護助手
かいごじょしゅ

お世話をして喜んで
もらえるやりがい！

施設で介護職員のサポート業務をします

　介護職員の助手として、施設で働く仕事です。老人ホームや介護施設、デイサービスなどの施設で、ベッドメイキングや清掃、食事の準備などを行います。身体介護以外の、資格がなくてもできる業務を担います。体を動かしたり、人の世話をすることが好きな人に向いているでしょう。資格は必要ありませんが、介護初任者研修の資格を取ると有利でしょう。

職業の特徴 / 注意点

・清掃や片付け等の作業をするだけでなく、利用者の話し相手になったり、レクリエーションの手伝いをしたり、コミュニケーション能力も必要です。

・人をサポートし、人が喜んでくれることにやりがいを感じられるでしょう。

似ている職業　ホームヘルパー / 介護福祉士

看護師
かんごし

国家試験に合格する
こっかしけん ごうかく
ことが必要です
ひつよう

医師をサポートし、患者さんをケアする命に関わる仕事

病院などで、医師の診察・指示に基づいて診察の補助を行います。検温や検診、点滴などの医療行為や、食事、入浴など療養上の世話も行います。看護師になるためには、看護師国家試験に合格する必要があります。人の命に関わる仕事なので責任も重く、また勤務体系が不規則ですが、やりがいのある仕事です。人の役に立ちたい気持ちのある人に向いているでしょう。

職業の特徴 / 注意点

・看護師国家試験を受けるためには、大学や短大の看護系学科、看護学校を卒業することが必要です。

・夜勤もあり、長時間拘束されることもあるので、体力が必要です。

似ている職業　看護助手 / 准看護師

看護助手
かんごじょしゅ

看護師のサポート
をして役に立つ!
かんごし
やく た

看護師をサポートし、患者さんの役に立つ仕事
かんごし　　　　　　　　　かんじゃ　　　　　やく た

　病院やクリニックなどで、看護師のサポートをする仕事です。食事・排泄・
びょういん　　　　　　　　　　　　　　　　　　　　　　　　　　　　しょくじ　 はいせつ

入浴といった療養上の世話のほか、ベッドメイキングや備品の管理、様々な
にゅうよく　　りょうようじょう　せわ　　　　　　　　　　　　　　　びひん　かんり　　さまざま

業務を行います。看護助手は特に資格が必要ありませんが、民間資格を取
ぎょうむ　おこな　　　　じょしゅ　とく　しかく　ひつよう　　　　　　　　みんかん　　　　と

ると有利でしょう。患者さんのそばで働くため、信頼関係を築くことが求めら
ゆうり　　　　　　　　　　　　　　はたら　　　　　しんらいかんけい　きず　　　　　　　もと

れます。人を助けることで喜びを感じる人に向いているでしょう。
たす　　　　　　　よろこ　かん　　　　　む

職業の特徴 / 注意点

・患者さんに寄り添って働くというやりがいがあります。
　　　　　よ そ

・メディカルケアワーカー（看護助手）/ 看護助手実務能力認定試験といった
じつ む のうりょくにんてい し けん

　民間資格を取ると有利でしょう。

似ている職業　看護師 / 准看護師
じゅん

保育士
（ほいくし）

国家資格の取得が
（こっかしかく　しゅとく）
必要です
（ひつよう）

親に代わり、子どもの安全を見守り成長を支えていきます
（おや　か）（あんぜん　みまも　せいちょう　ささ）

　保育所などで、0才〜6才くらいの未就学児を保育する仕事です。子どもが
（ほいくじょ）（みしゅうがくじ）
安全に過ごせるように見守り、基本的な生活習慣や集団生活のきまりなどを
（す）（きほんてき　せいかつしゅうかん　しゅうだんせいかつ）
教えていきます。国家資格である保育士の資格が必要です。子どもを相手に
（おし）（こっかしかく）（ひつよう）（あいて）
する仕事なので体力が必要ですが、成長を感じることができ、やりがいのある
（たいりょく）（かん）
仕事です。また、保護者との情報共有やコミュニケーションも欠かせません。
（ほごしゃ）（じょうほうきょうゆう）（か）

職業の特徴 / 注意点

・保育士の資格は、学校で保育士養成課程を修了するか、保育士試験に合格す
（がっこう）（ようせいかてい　しゅうりょう）（しけん　ごうかく）
ることで得ることができます。
（え）

・子どもの安全を見守るため、責任感のある人に向いているでしょう。
（せきにんかん）（む）

似ている職業　保育補助 / 幼稚園教諭 / ベビーシッター
（ほじょ）（ようちえんきょうゆ）

ホームヘルパー

介護職員初任者研修
（かいごしょくいんしょにんしゃけんしゅう）
の資格を取りましょう
（しかく・と）

高齢者や障害者の自宅に伺い、介護をする
（こうれいしゃ・しょうがいしゃ・じたく・うかが・かご）

　高齢者や身体に障害を抱える人など、日常生活を送ることが困難な人の
（しんたい・しょうがい・かか・にちじょうせいかつ・おく・こんなん）
自宅に伺い、身の回りのお手伝いをする仕事です。身体介護、生活介護、
（み・まわ・てつだ・かいご・せいかつ）
相談・助言の仕事があり、食事、排泄、入浴等のサポートや、場合によって
（そうだん・じょげん・しょくじ・はいせつ・にゅうよくとう・ばあい）
は買い物などの生活援助も行います。必須の資格はありませんが、在宅介護
（か・もの・えんじょ・おこな・ひっす・しかく・ざいたく）
で身体介護をするためには、介護職員初任者研修の資格が必要です。
（しょくいんしょにんしゃけんしゅう・ひつよう）

職業の特徴 / 注意点

・介護職員初任者研修（旧ホームヘルパー2級）の資格を取るとよいでしょう。
（きゅう・きゅう）

・高齢者や障害者によりそい、信頼関係を築くことが必要です。
（しんらいかんけい・きず）

・人を助けて、支えることに幸せを感じる人に向いているでしょう。
（たす・ささ・しあわ・かん・む）

似ている職業　介護福祉士 / 介護助手
（ふくしし・じょしゅ）

マッサージ師（あんまマッサージ指圧師）

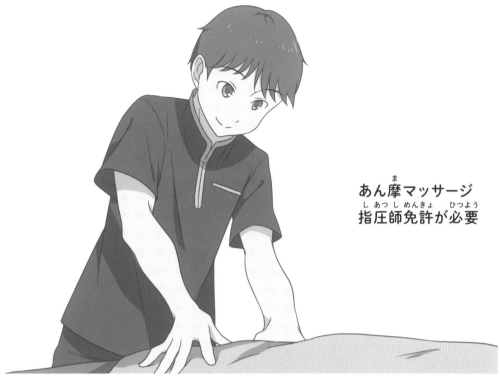

あん摩マッサージ
指圧師免許が必要

自分の手で、こりや痛みを和らげ体調を改善させる

　器具を使わず、体をもんだり押したりすることで、筋肉のこりをほぐしたり、腰痛などの痛みを和らげる仕事です。国に指定された学校などの養成施設で3年以上（盲学校の場合は3〜6年）学び、国家試験に合格することが必要です。人を助けたい、自分の手で患者さんを楽にしてあげたいと思う人に向いているでしょう。また、独立開業の道に進む人が多い職業です。

職業の特徴 / 注意点

・患者さんの体の不調を聞くため、コミュニケーション能力も必要です。

・視覚障害の人も多く就いている仕事です。

・治療院に勤めて経験を積んでから独立開業に向けて動くのも良いでしょう。

似ている職業　鍼灸師 / 整体師

柔道整復師
じゅうどうせいふくし

こっかしけん ごうかく
国家試験に合格する
ひつよう
ことが必要です

手に職をつけ、たくさんの人を治療し助ける
て しょく ひと ちりょう たす

にちじょうせいかつ しょう だぼく こっせつとう おこな
　日常生活やスポーツで生じた打撲、ねんざ、骨折等の治療を行う仕事です。
しゅじゅつ とうやく せいふく こてい りょうほう じゅうどうせいふくし
手術や投薬はせずに、整復や固定などの療法で治療します。柔道整復師を
ようせい がっこう いじょうまな こっかしけん ごうかく ひつよう
養成する学校で3年以上学び、国家試験に合格する必要があります。柔道
しかく と かいぎょうけん みと どくりつ
整復師の資格を取ると開業権が認められるので、独立開業もできます。たく
きも む
さんの人を助けたい・元気にしたいという気持ちのある人に向いているでしょう。

職業の特徴 / 注意点

しゅとく
・国家試験に合格し、柔道整復師の資格を取得する必要があります。
く かんじゃ せっ
・治療に来る患者さんとのコミュニケーションも欠かせませんので、人と接する
す
のが好きな人に向いているでしょう。

似ている職業　機能訓練指導員 / スポーツトレーナー / マッサージ師
きのうくんれんしどういん し

スポーツインストラクター

元気で健康な状態
に導く先生役

一人ひとりにあったメニューでスポーツの指導を行う

　スポーツジムやフィットネスクラブで、スポーツの指導をします。一人ひとりの目的や体に合ったメニューを作り、相手のことを考えて器具の使い方等を指導することが必要です。教えることが得意で、面倒見がよく、人を元気にできるタイプの人に向いているでしょう。いろいろな年齢の人を教えるので、スポーツの知識はもちろん、コミュニケーション能力も必要です。

職業の特徴 / 注意点

・資格は必要ありませんが、スポーツ系の専門学校等で学ぶのもよいでしょう。
・単純に器具やスポーツを教えるだけでなく、健康維持やダイエットなど、それ
ぞれの目的に合わせた指導が求められます。

似ている職業　柔道整復師 / 整体師 / マッサージ師

工場・物流・運輸・土木

仕分け・梱包

学歴・資格等は必要なくチャレンジできる

倉庫や工場で商品や製品を分類、梱包します

　倉庫や工場などで、商品を分類したり、梱包したりする仕事です。商品にラベルを貼ったり、梱包した箱を運ぶ作業が含まれる場合もあります。「座ったまま仕分け作業のみ」といった、体力面・身体面に配慮された職場もあります。単純作業が続きがちですので、集中力を持って気を抜かずに作業することが求められます。ネット通販の拡大と共に、需要が高まっている仕事です。

職業の特徴／注意点

・学歴や資格がなくてもチャレンジできます。

・対人よりは、対モノが得意な人に向いているでしょう。

・同じような作業やルーティンが苦にならない人に向いています。

似ている職業　品出し・ピッキング／ライン作業員

品出し・ピッキング

学歴・資格等は必要なくチャレンジできる

商品の陳列や倉庫での商品集めで、お店を裏から支える

　商品棚に少なくなった商品を補充するのが品出しの仕事です。数が重要な仕事なので、正確性が必要です。小さな店舗ではレジ係の仕事の合間に行うこともあります。ピッキングは、注文リストに合わせて倉庫で商品を集める仕事です。他の部署と連携を取りながら仕事をすることが求められます。じっとしているよりも動き回っている方が好きな人に向いているでしょう。

職業の特徴 / 注意点

・商品の在庫数が合うように、きちんと正確に作業することが必要です。

・大きな倉庫だと動き回るため、体力も必要です。

・事前に仕事の手順が決まっていると安心するタイプの人に向いているでしょう。

似ている職業　ライン作業員 / 荷役作業員

配送ドライバー

車の種類に合った
運転免許が必要

様々な場所に荷物を運ぶ、現代社会に欠かせない物流の仕事

　配送ドライバーには、宅配便としてお客さんへ配達・集荷、長距離運送、自動販売機の飲料を入れ替えるため決まったルートを配送、など様々な種類があります。運転が好きなこと・得意なことはもちろんプラスですが、無事故無違反でルールにのっとり仕事をする責任感が求められます。睡眠不足などは事故につながるので、自己管理が必要です。

職業の特徴 / 注意点

・車の種類によって、必要な運転免許が異なります。

・直接お客さんに届けるドライバーの場合は、コミュニケーション能力も重要になります。対人になるか、対モノになるかで向いているタイプも変わるでしょう。

似ている職業　タクシードライバー / 荷役作業員

ビル清掃
せいそう

短時間の勤務など、
たんじかん　きんむ
融通がきくでしょう
ゆうずう

みんなが使うビルをいつもピカピカにする仕事
つか

　オフィスビル等の通路、階段、トイレなど様々な場所をきれいに清掃します。ビル清掃はチームで行うことが多いので、それぞれの担当をきちんとこなしましょう。オフィスの業務前に清掃を終わらせることが多いので、勤務時間は朝が早くなることが多いです。短時間の勤務など、時間に融通がききやすいです。コツコツと地道に仕事をするタイプの人に向いているでしょう。

職業の特徴

・学歴や経験がなくてもチャレンジできる仕事です。
　がくれき　けいけん

・高所での窓清掃などは、専門の研修を受けないとできません。
　こうしょ　まど　　　　　せんもん　けんしゅう　う

・短時間の勤務など、時間に融通がききやすい職場が多いです。
　たんじかん　きんむ　　　　　　　　　　　　　　しょくば

似ている職業　仕分け・梱包 / ライン作業員

ライン作業員

ものづくりの喜び
が味わえる！

ものづくりに欠かせない作業を担う

　会社やメーカーの工場など、ライン作業で一つの製品を完成させる流れの中で作業をします。何かを作ることが好きな人に向いています。未経験からチャレンジできることが多く、業種によっては免許や資格の取得で優遇されることもあります。繰り返しの作業になることも多いので、集中し、コツコツと作業するのが得意な人に向いているでしょう。

職業の特徴／注意点

・対人よりは、対モノが得意な人に向いているでしょう。
・動き回らず座ったまま作業ができる場合もあるので、体を動かしにくい人も職場環境によっては向いているでしょう。

似ている職業　仕分け・梱包／クリーニング工

自動車整備士
（じどうしゃせいびし）

専門学校に通い資格
（せんもんがっこう　かよ　しかく）
を取るとよい
（と）

車の安全を守るため、点検・整備・修理などをするスペシャリスト
（くるま　あんぜん　まも）　　　　　　（てんけん　せいび　しゅうり）

　自動車の点検や整備、検査などを行う仕事です。また、自動車にトラブル
（じどうしゃ）　　　　　（けんさ）　　　（おこな）

がある場合、故障箇所を見つけ修理を行います。とくかく自動車が大好き、
（ばあい　　こしょうかしょ　み）　　　　　　　　　　　　　　　（だい　す）

機械いじりが大好きという人に向いているでしょう。「自動車整備士技能検定」
（きかい）　　　　　　　　　　　　　　（む）　　　　　　　　　　　　　　　　　　（ぎのうけんてい）

に合格し、自動車整備士の資格を持っていることが就職の条件となっている
（ごうかく）　　　　　　　　　（しかく　も）　　　　　　　　（しゅうしょく　じょうけん）

ことが多いです。毎日車に触り、経験を積むことで成長ができるでしょう。
（おお）　　　（まいにち　さわ　　けいけん　つ）　　　（せいちょう）

職業の特徴

・「自動車整備士技能検定」という国家資格があります。
（こっか）

・夏はとても暑く、油にまみれるので、作業環境や待遇が悪いと感じるかもし
（なつ）　　（あつ　　あぶら）　　　　　　　（さぎょうかんきょう　たいぐう　わる　　かん）

れませんが、専門知識と技能を生かして、車の安全を守る重要な仕事です。
（せんもんちしき　ぎのう　い）　　　　　　　　　　（じゅうよう）

似ている職業　自動車販売 / レンタカー業
（はんばい）　　　　　　　（ぎょう）

測量士
<small>そくりょうし</small>

国家資格が必要です
<small>こっか しかく ひつよう</small>

どんな建造物を造るのにも必要な専門家
<small>けんぞうぶつ つく ひつよう せんもん</small>

　建造物を造る時に、必要な計測を行います。土地の高さ・長さ・面積・位置を測ります。正確さが何よりも求められます。「測量」の仕事につくためには、「測量士」または「測量士補」の国家資格が必要です。国家試験に合格する方法と、大学や専門学校で資格を取得する方法があります。地図や図面を見たり、計測することが好きな人に向いているでしょう。

職業の特徴 / 注意点

・測量の仕事には、国家資格が必要です。

・長時間の作業や山間部などの自然で行う作業がある場合は、体力も必要です。

・公共事業と関わり、道路や橋・ダムなど大きなものを作る仕事に携われます。

似ている職業　土地家屋調査士 / 建築士

土木作業員
(どぼくさぎょういん)

学歴・資格等は必要
なくチャレンジできる
(がくれき・しかくとう・ひつよう)

建物や道路などを作る、体を使う仕事

建設現場や道路整備などの工事現場で、力仕事をしたり、重機を運転して作業します。体力を使いますので、夏場は熱中症などに気をつけ、集中力をかかないように注意しましょう。特に資格は必要ありませんが、大型重機等の操作には免許が必要です。未経験でもチャレンジしやすく、体を動かすことが好きな人に向いているでしょう。

職業の特徴

・重機を運転する「車両系建設機械技能講習」や、「土木施工管理技士」、「玉掛け」などの各種資格があります。また、現場監督になるためには、「施行管理技士」の資格が必要になります。経験を積みながら資格を取るとよいでしょう。

似ている職業　とび / 解体工 / 荷役作業員

クリーニング工

衣類がキレイになり
成果が分かる！

預かった衣類を1枚1枚きれいにしていく

　クリーニング店で預かった衣類を、工場できれいに洗って仕上げる仕事です。預かった衣類の検品、仕分けをし、機械で洗濯します。その後、アイロンを当てて仕上げ、チェックをします。複雑な作業ではないですが、衣類1枚1枚に違いがあるので、注意しながら、スピーディーに作業することが求められます。対人よりは対物が好きな人に向いているでしょう。

職業の特徴 / 注意点

・資格などは必要なので、未経験でもチャレンジできます

・自分の手できれいになっていく衣類を確認することで、目で見て成果が分かる

　のでやりがいがあるでしょう。

似ている職業　仕分け・梱包 / ライン作業員

ミシン縫製工
（ほうせいこう）

衣類（いるい）を作（つく）り上（あ）げることができる楽（たの）しみ！

ミシンを使（つか）い、布地（ぬのじ）を縫製（ほうせい）して衣類（いるい）を完成（かんせ）させる

ミシンを使（つか）って、布地（ぬのじ）を縫製（ほうせい）し衣類（いるい）を作（つく）る仕事（しごと）です。裁断（さいだん）された布地（ぬのじ）や部品（ぶひん）が回（まわ）ってきますので、縫製手順（ほうせいてじゅん）に従（したが）って縫（ぬ）い合（あ）わせ、製品（せいひん）を完成（かんせい）させます。流（なが）れ作業（さぎょう）により生産（せいさん）されています。手先（てさき）が器用（きよう）でミシンが扱（あつか）えるのはもちろん、協調性（きょうちょうせい）がありチームワークの作業（さぎょう）が得意（とくい）な人（ひと）に向（む）いているでしょう。座（すわ）ったまま作業（さぎょう）できるので、体（からだ）を動（うご）かしにくい人（ひと）にも向（む）いているでしょう。

職業の特徴 / 注意点

・特（とく）に資格（しかく）は必要（ひつよう）ありませんが、ミシンの扱（あつか）いに慣（な）れているとよいでしょう。

・衣類（いるい）やファッションに興味（きょうみ）がある人（ひと）に向（む）いているでしょう。

・チームにより作（つく）り上（あ）げるので、協調性（きょうちょうせい）やスピーディーな作業（さぎょう）が求（もと）められます。

似ている職業　ライン作業員 / かばん・袋物製造

荷役作業員
（にやくさぎょういん）

学歴・資格等は必要なくチャレンジできる

船や港で荷物の積み下ろしや運搬・搬出をする

　船や港に運ばれる荷物やコンテンを運ぶ仕事です。船内では荷物の積み下ろしをしチェーンなどで陸に運び下ろす作業、沿岸ではその荷物をさばく運搬や搬出を行います。力仕事ですので、体力に自信がある人に向いているでしょう。資格は必要ありませんが、運転免許、フォークリフト、玉掛けなどの資格があると有利でしょう。

職業の特徴 / 注意点

・体を動かすことが好きで苦にならない人に向いているでしょう。

・天候等や船の諸事情により時間が不安定なことがあります。

・経験を積みながら、フォークリフト等の免許を取得するとよいでしょう。

似ている職業　フォークリフト / 土木作業員 / 配送ドライバー

タクシー運転手

普通自動車第二種
免許の取得が必要

安全運転でお客さんを希望する場所まで連れて行く

　タクシーを運転してお客さんを目的地まで連れて行く仕事です。安全に運転する技術はもちろんですが、地理や道路についての知識も必要です。また、拘束時間が長い独特の勤務体系への慣れも必要でしょう。タクシーの運転には、普通自動車第二種免許の取得が必須です。東京・大阪・神奈川の都市部ではタクシーセンターで行われる地理試験に合格しなければなりません。

職業の特徴 / 注意点

・給料は基本的に歩合制のことが多いため、月によって収入に差がでます。

・車の運転が好きなだけでなく、お客さんへの接客マナーも求められます。

・長時間の運転で腰痛にならないよう注意が必要です。

似ている職業　ハイヤー運転手 / 送迎ドライバー

警備員
けいびいん

人々の安全を見守る
ひとびと あんぜん みまも
責任感が必要
せきにんかん ひつよう

責任感を持って人々の安全を守る縁の下の力持ち
せきにんかん も ひとびと あんぜん まも えん した ちからも

　工事現場や駐車場、ビルなどの施設で安全を守る仕事です。不審者のチェッ
こうじげんば ちゅうしゃじょう しせつ ふしんしゃ
クや交通誘導など、警備する場所によって業務内容も異なります。特に資格
こうつうゆうどう けいび ばしょ ぎょうむないよう こと とく しかく
などは必要なく、夜間や短時間のみなど時間に融通がきくことも多いので、
ひつよう やかん たんじかん ゆうずう おお
チャレンジしやすい仕事です。指定された場所にいないといけないため、外で
してい そと
は暑さ・寒さがつらい場合もあります。責任感の強い人に向いているでしょう。
あつ さむ ばあい せきにんかん つよ む

職業の特徴 / 注意点

・指定された場所にいなければならず、好きなタイミングでトイレ等に行けない
す い
など、ある程度じっとしていることが苦でないタイプの人に向いているでしょう。
ていど く
・職場によっては長時間立ちっぱなしになることもあるので体力が必要です。
しょくば ちょう た たいりょく

似ている職業　SP/ イベントスタッフ

フォークリフト

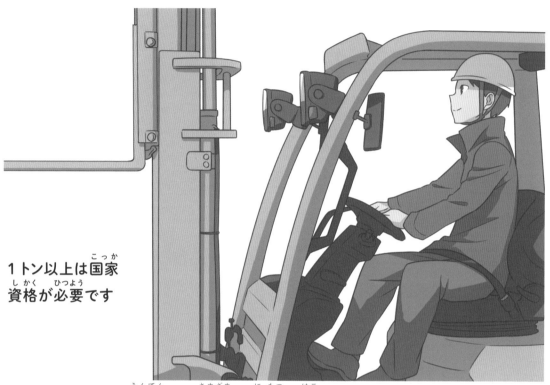

1トン以上は国家
資格が必要です

フォークリフトを運転し、様々な荷物を運ぶ

　工場や物流倉庫などでフォークリフトを運転して、荷物やコンテナを運ぶ仕事です。最大積載荷重1トン以上のフォークリフトを運転するには、労働安全衛生法によって定められた「フォークリフト運転技能講習修了証」という国家資格が必要です。フォークリフトが運転できると、建築現場等で仕事の幅が広がり、有利になるでしょう。運転が好きな人に向いています。

職業の特徴 / 注意点

・「フォークリフト運転技能講習修了証」の取得には、運転技能講習を受講し、修了試験に合格しなければなりません。1トン未満のフォークリフトは、免許がなくても特別教育を受けることで運転できます。

似ている職業　荷役作業員 / 配送ドライバー

アート・
エンターテインメント

お笑い芸人

下積みが長くても
諦めない気持ち！

たくさんの人を笑いで楽しませる、テレビや舞台の人気者

　テレビや舞台に出演し、漫才やコントで笑いを取る仕事です。芸人になるには、養成所に通ったり、弟子入りしたり、オーディションを受けたりなど様々です。資格も学歴もいらない世界なので、「お笑いが好き」という強い気持ちが大切になります。売れるまでの下積み生活の間も、「笑いで人を楽しませたい」という夢を諦めずに、続けていく継続力も大切な要素です。

職業の特徴 / 注意点

・売れるかどうかは、才能・努力・運など色々な要素があり、人気が出てもいつ急に仕事がなくなるか分からない不安定な職業です。

・タレントや役者、Youtuber などで活躍する人も多い職業です。

似ている職業　役者 / 放送作家 / タレント /YouTuber

声優
せいゆう

声で人を感動させる
こえ ひと かんどう
人気職業
にんきしょくぎょう

アニメや外国語映画に欠かせない声の表現者
がいこくごえいが か こえ ひょうげんしゃ

　アニメや映画で、キャラクターや俳優の口の動きに合わせて声を吹き込む仕事です。最近ではCM等のナレーションや歌手や俳優等の活動をする人もいます。実力があれば活躍できますが、人気があり競争率の高い職業なので、トップ声優になるには努力と熱意が必要です。「アニメが好き!」「あの声優さんみたいになりたい!」といった気持ちを忘れないことが大切です。

職業の特徴 / 注意点

・声優養成所や専門学校で声優コースに入り、そこからプロダクションに所属したりオーディションを受けるのが一般的なコースです。

・作品がヒットしたり、人を感動させる喜びがあるでしょう。

似ている職業　歌手 / 役者 / アイドル / タレント

プロゲーマー

学歴年齢不問、
実力勝負の世界

常に練習をして、ゲームの世界でトップを狙う

　国内外で行われるゲーム大会に出場して勝利を目指し、その賞金で生計を立てます。また、スポンサー契約ができれば資金の援助もあります。学歴年齢を問わない実力勝負の世界なので、スポーツ選手と同じように多くの練習とストイックな生活が求められます。毎日何時間もゲームの練習をするので、本気でゲームが好きで強くなりたいという気持ちがないと続きません。

職業の特徴 / 注意点

・海外の大きな大会では億単位の賞金が稼げますが、トッププロゲーマーになるのは一握りで、実力勝負の厳しい世界です。

・日々ゲームスキルを磨く必要があるので、ストイックな人に向いているでしょう。

似ている職業　ゲームクリエイター / YouTuber

プロスポーツ選手

スポーツで人に
感動を与える！

スポーツで人に夢や感動を与える華やかな職業

　試合や競技などスポーツをすることで収入を得て生活している人をプロスポーツ選手といいます。試合のない日も練習をし、技術や体力を向上させる必要があるので、向上心が不可欠になります。また、ケガや病気にならないように、自己管理能力が高くストイックな性格の人に向いているでしょう。プレッシャーに強い精神力も求められます。

職業の特徴 / 注意点

・実力勝負の世界なので、結果がでないと契約を切られることがあります。

・競技にもよりますが、一般的な職業に比べて活躍できる年数が限られています。

・常に他人との競争にある厳しい世界ですが、人に夢を与えられる職業です。

似ている職業　スポーツインストラクター / トレーナー / 監督・コーチ

小説家
（しょうせつか）

創作した物語で
人の心を動かす

頭の中で考えた物語を文章で創り上げる

　小説を書くことで収入を得る仕事です。恋愛もの、歴史、SF、純文学など、様々なジャンルがあります。アイデアをあたため、実際に書き上げるまでに沢山の時間を必要とします。継続して続ける力が必要です。出版社主催のコンクールに入賞したり、WEB上の小説で人気が出るなどのデビュー方法があります。自分の書いた物語で人の心を動かすやりがいのある仕事です。

職業の特徴 / 注意点

・小説が好き、書くことが好きという気持ちと、文章で表現する力が必要です。
・年齢、学歴、資格など何も必要ありません。
・自分の作った物語が反響を得て、多くの人の心に響く達成感があります。

似ている職業　ライター / 記者 / シナリオライター

アニメーター

自分の描いた絵が動く喜び!

アニメーションの元となる1枚を描き、作品を支える

　ストーリーに沿って、アニメーションの元になる絵を1枚1枚描く仕事です。美術系大学やアニメーター養成の専門学校等で必要な技術を学び、アニメ制作会社やプロダクションに就職するのが一般的です。時には作業が深夜にまで及ぶこともある仕事です。アニメが好きで、自分で描いた絵が動くことにやりがいを感じる人でなければ務まりません。

職業の特徴 / 注意点

・自分の手で何かを作ることに満足感を得る人に向いているでしょう。

・座って仕事をすることが多いので、動き回ることが苦手な人には向いています。

・「アニメが好き」という初心を忘れずに頑張りましょう。

似ている職業　漫画家 / イラストレーター / キャラクターデザイナー

YouTuber（ユーチューバー）

好きなことや情報を動画で発信して、広告収入で生活します

　動画共有サイトYouTubeに様々な動画をアップロードして、主に広告収入により生活します。歌を歌ったり料理を作ったり、バラエティ番組のような企画をするなど、エンターテイメント系から教育、情報、解説ものなど、様々なジャンルがあります。沢山の人に喜んでもらったり、好きなことをしてお金がもらえる反面、生活していける安定収入を得れる人はごく一部という現実もあります。

職業の特徴 / 注意点

・アップする頻度が多かったり、編集作業も自分でするには、体力も必要です。

・動画をアップしても収入を得られるかは分からないので注意しましょう。

・発信力、企画を生み出す力などが必要です。

似ている職業　放送作家 / 動画編集 / お笑い芸人 / タレント

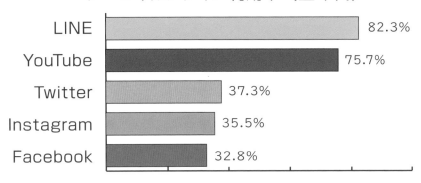

ソーシャルメディア利用率（全年代）

LINE	82.3%
YouTube	75.7%
Twitter	37.3%
Instagram	35.5%
Facebook	32.8%

※総務省　情報通信メディアの利用時間と情報行動に関する調査データ　2018 年

好きな時に、好きな場所で、好きなことを発信する

　YouTuber は、勤務時間に捉われずに自由に仕事をすることができます。誰にも縛られない自由さが魅力的で、近年では子供のなりたい職業で上位にランクインする人気職業です。しかし、楽して簡単に稼げる職業ではなく、常に面白いコンテンツを考え続け、ファンを確保して活動する必要があります。

演者以外にも、様々な裏方作業が必要です

　演者以外にも、企画・撮影・編集などの作業が必要です。全てを一人で行う人もいますし、チームを組んだり、外部業者に委託する場合もあります。一人で行う場合は、自己管理能力や継続力も重要になります。また、他人と協同作業をする場合は、チームワークを円滑にしたり、良い所を引き出す力、出来上がった動画に対して判断する能力も必要になります。

人気職業だけに、成功者は限られています

　YouTuber になるためには学歴も資格も必要ありません。やりたいと思ったらすぐに始められる手軽さもあり、参入者が多い業界です。多くの収入を得られるトップ YouTuber はほんの一握りだということも忘れないでください。

適職診断

★ パーソナリティタイプで適職を考える

　性格や気質などから自分がどんなタイプか分かると、職業選びの参考になります。アメリカの心理学者ホランドは、人間を6つのパーソナリティタイプに分類しました。パーソナリティタイプは、生まれつきの気質や、周囲の環境、出会った人、受けた教育などによって形成されます。**どんなものに興味や関心があり、どんな環境で育ってきたのか**、といったことです。

　また仕事についても4つの次元（データ、アイデア、ひと、もの）に基づいて分類されており、これらをかけ合わせることで、**タイプ別に適した職業・職種が分かる**というのがホランドの理論です。6つの分類の頭文字を取ってRIASEC（リアセック）と呼ばれています。

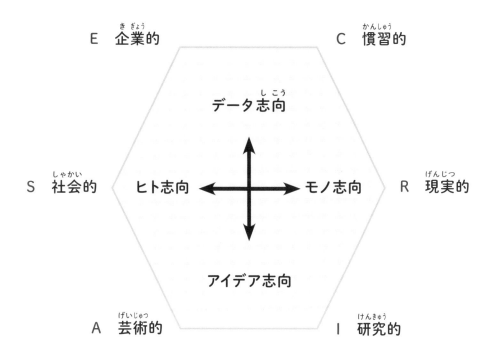

E　企業的　　　　　　　　　　　C　慣習的

データ志向

S　社会的　　ヒト志向　　　モノ志向　　R　現実的

アイデア志向

A　芸術的　　　　　　　I　研究的

ここでは、簡単なキーワード表と説明文を掲載します。自分はどのタイプにあてはまるか考え、参考にしてみましょう。

文字	タイプ	キーワード
R	現実的	物、機械、料理、動物、対物、具体的、実践的
I	研究的	論理的、読書好き、好奇心、数学、医学、研究肌
A	芸術的	美術、音楽、創造的、想像力豊か、繊細、内向的
S	社会的	教える、手助けする、友好的、責任感、明るい
E	企業的	説得、リーダーシップ、外交的、新規事業、開拓
C	慣習的	データ、整理、几帳面、人の和、ファイリング

現実的　Realistic

物や用具、機械などに対する関心が強い。具体的でわかりやすいことを好む。曖昧なことや柔軟な対応は苦手。対人接触や、社会への関心が乏しいので、その必要が少ない仕事に向いている。

向いている職業：エンジニア、整備士、清掃員、農業、料理人

研究的　Investigative

物事を論理的に考え、数理的に処理するタイプ。抽象概念に関心を持つ。好奇心旺盛で、情報収集に向いている。物事を一人でするのが好きで、リーダーシップはあまりなく、グループ活動を好まない。

向いている職業：医師、WEB クリエーター、システムエンジニア

芸術的　Artistic

独創的で感受性豊か。音楽や文学、美術などに関心が強い。型にはまらず、規則や習慣より自分の感性を大切にするタイプ。繊細で内向的。他人の感情にも敏感で、不安感が強い。

向いている職業：グラフィックデザイナー、小説家、カメラマン

社会的　Social

人に教えたり、一緒に活動するのを好む。他人に共感し、親切で、人を助けるタイプで責任感も強い。一人になることは苦手。

向いている職業：介護職、販売員、スポーツインストラクター

企業的　Enterprising

リーダーシップを発揮して、新しい仕事を開拓することを好む。他人を指導したり説得したりするのが得意で、人望もある。企画を作ったり組織を動かすような活動を好む。

向いている職業：経営コンサルタント、営業職、プランナー

慣習的　Realistic

体系的で順序だったデータを扱ったり、記録、ファイリングなどをまとめることを好む。几帳面で粘り強く、協調的でもある。人との和を大切にし、リーダーシップや独自性を求められるよりは、指示に従うことを好む。

向いている職業：データ入力、プログラマー、銀行員、秘書

　ホランドの理論についてをもっと知りたい人は、書籍やインターネットで調べてみましょう。

働きやすい職場環境の事例

品出し・ピッキング（知的障害）

図や番号を入れた分かりやすいマニュアルのおかげで理解ができました。

広い倉庫の中で、棚や商品が分からなくなることがあったので、マニュアルに図や番号をふってもらいました。ミスが少なくなり、感謝しています。

企業側の話：

ハローワークから紹介があり、事前に倉庫の見学をしてもらいました。その後、面接を経て2週間の職場実習を行いました。採用決定後は、3ヶ月のトライアル雇用を経てから正式採用しました。以前から職場では、報連相が苦手だったり、指示が理解しにくいためか、ミスが多く出ることもありました。その都度マニュアルを改善したり、ミスがないか確認の時間を細かく取ることで、徐々に働きやすい体制を整えています。

事例2 清掃員（発達障害）

マイペースで疲れやすいですが、指示や勤務時間に配慮してもらい助かりました。

疲れないように配慮して頂き助かっています。まだ長い時間は働けませんが、これからもこの職場で仕事を続けたいと思っています。

企業側の話：

　清掃の仕事自体は実習経験がありましたが、就労の最初の段階からジョブコーチに支援に入ってもらい、本人との調整ができました。マイペースなところや、こだわりを持つところに関しては、優先順位の説明や複数の指示を同時にしないことなどで、改善がみられました。精神的に疲れないしないよう、現在は1日5時間の勤務にしています。本人が長く働きたいという意欲を見せてくれていることがうれしいです。

事例3 データ入力（身体障害）

広い通路など環境を確保してもらったので、パソコン業務で貢献したい。

病状に合わせて短時間勤務にして頂いたり、内勤なので、定時に帰れています。
また、通路を広く確保して頂いたりして、ありがたいです。

企業側の話：

　歩行困難になられたので、復帰してからは販売の現場ではなく、データ入力等の仕事に移っていただきました。病状に合わせて短時間勤務にしていましたが、今は定時で帰れるペースで働いてもらっています。通路を広めに確保するなどの工夫をしています。

最初はご本人はパソコンが得意ではなかったのですが、周りの社員のサポートもあり、助け合うことで双方に良い関係が築けていけることを目指しています。

さくいん　50音順

参考図書

・ひとりだちするためのビジネスマナー&コミュニケーション

・ひとりだちするためのトラブル対策

・ひとりだちするためのライフキャリア教育

・ひとりだちするための就労支援ノート

・ひとりだちするための進路学習

イラスト（表紙・本文）：藤山

障害のある子のための**職業ガイド**

2020 年 12 月 1 日　初版発行

発行所　　㈱日本教育研究出版

　　　　〒153-0051 東京都目黒区上目黒 3-6-2 伊藤ビル 302

　　　　TEL　03-6303-0543　FAX　03-6303-0546
　　　　WEB　https://www.nikkyoken.co.jp

ISBN978-4-931336-37-7 C0037